책을 내면서

앙상블을 접하면 화음감, 박자감, 리듬감, 집중력, 연주력 향상 등 많은 부분에서 잇점이 있습니다 .
이 책은 실력이 다른 여럿이 모여 한 곡을 완성할 수 있게 편곡 되었습니다 . 자기 레벨에 맞는 파트로 초보자와 상급자가 함께 연주할 수 있고, 피콜로나 알토, 베이스 플룻이 없이 일반적인 콘서트 플룻 만으로도 풍부한 음량으로 앙상블을 즐길 수 있습니다.
파트 밑에 별 표시로 난이도를 나타내어 자기 레벨을 쉽게 찾을 수 있습니다. 전곡 반주 QR이 있어 전 파트 구성 뿐 아니라 한두 파트 빠진채 솔로나 듀엣으로 연주해도 아름답게 완성 됩니다. 또한 각 곡에 코드 표시로 반주도 수월 합니다

기초부터 차근차근 함께 연습하면서 자기 소리뿐 아닌 다른 소리들도 들을 수 있게 된다면 앙상블을 통한 어울림의 묘미와 오묘한 화성의 세계로 이어지는 음악의 풍요로움을 만끽할 수 있을 것입니다.

책에 수록된 곡들은 기존에 있던 악보들로는 여럿이 모인 수업에서 함께 하는데 어려움이 있어 따로 편곡해 연주해 왔던 곡들입니다. 실제로 학교와 문화센터, 앙상블팀 등에서 축제나 발표회, 연주회 때 호평 받아 왔던 곡을 모았습니다. 1권에 이어 2권도 즐거운 연주와 실력향상에 많은 도움 되길 바랍니다. 조언주신 경희동문 선후배님들, 도움주신 김정민 선생님, 사랑하는 가족들께 감사하고 책을 낼 수 있는 여건과 지혜를 허락 하신 하나님께 감사드립니다.

차례

Lemon tree

Flute 1
★★★

볼커힌켈 작곡
한유경 편곡
♩= 126
8
1-8
Am Em7 Am
12 Em7 Am Em7 Am
16 Em7 Dm7 Em Am Em Am
21 Am Em7 Am Em7
25 Am Em7 Am Em7 Dm7
30 Em Am Em Am C G
35 Am Em F G
39 C Gsus4 G C G Am
44 Em7 F D G G
49 Am Em Am Em Dm

Lemon tree

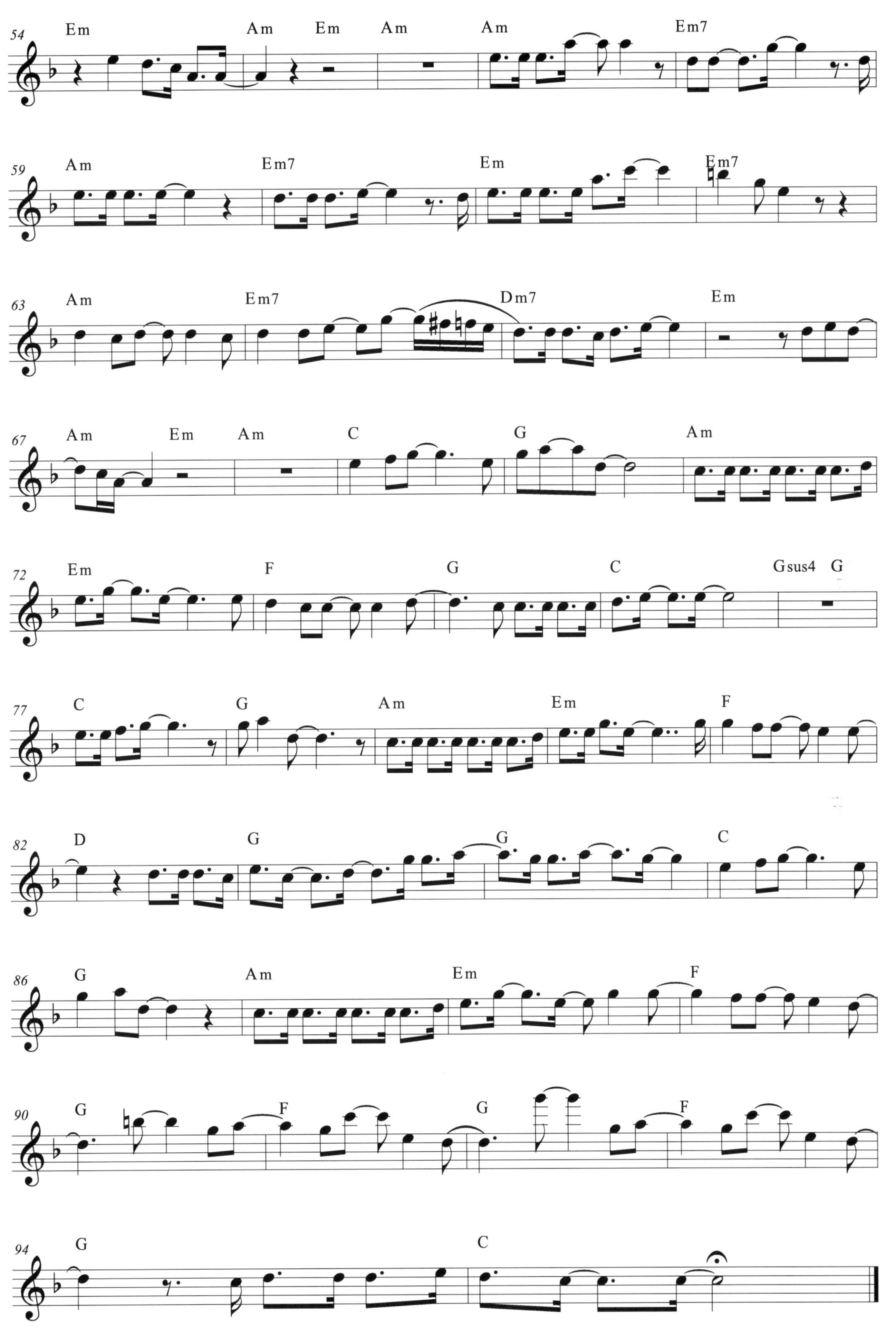
54 Em Am Em Am Am Em7
59 Am Em7 Em Em7
63 Am Em7 Dm7 Em
67 Am Em Am C G Am
72 Em F G C Gsus4 G
77 C G Am Em F
82 D G G C
86 G Am Em F
90 G F G F
94 G C

Lemon tree

Flute 2

★★★★

Lemon tree

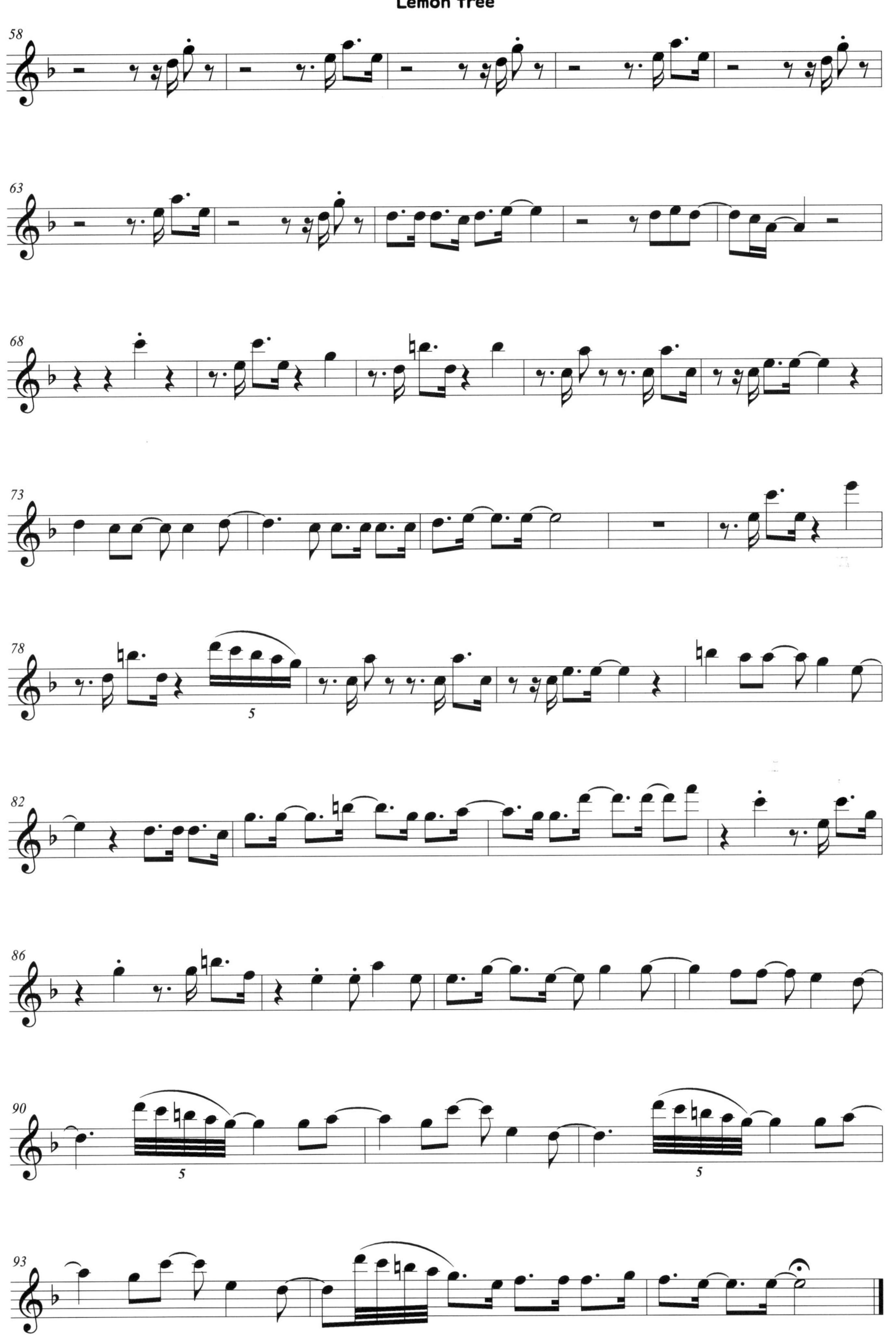

Lemon tree

Flute 3

볼커힌켈 작곡
한유경 편곡

Lemon tree

Lemon tree

Flute 4

★

볼커힌켈 작곡
한유경 편곡

Lemon tree

Lover`s waltz

Lover`s waltz

Lover`s waltz

Flute 2

★★

Lover`s waltz

Lover`s waltz

Flute 3

★

Morning has broken

Flute 1

★★★

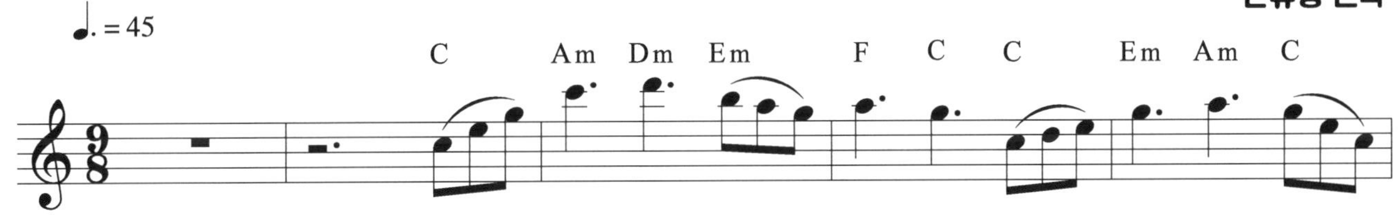

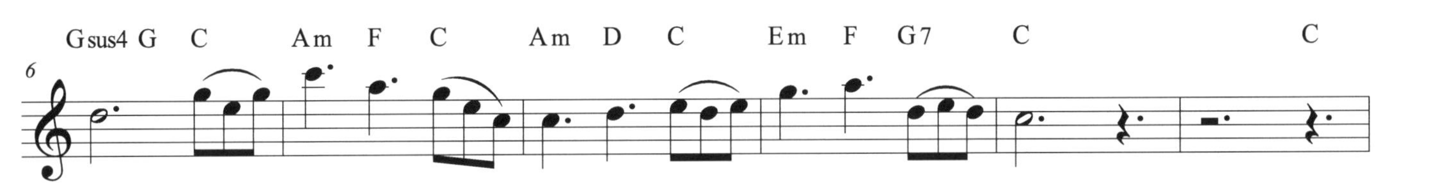

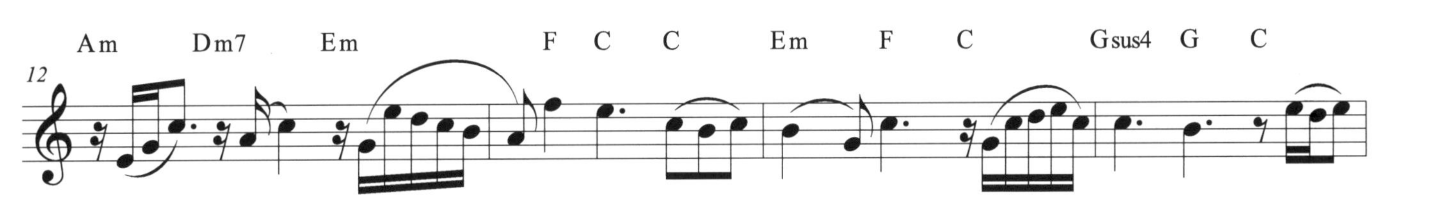

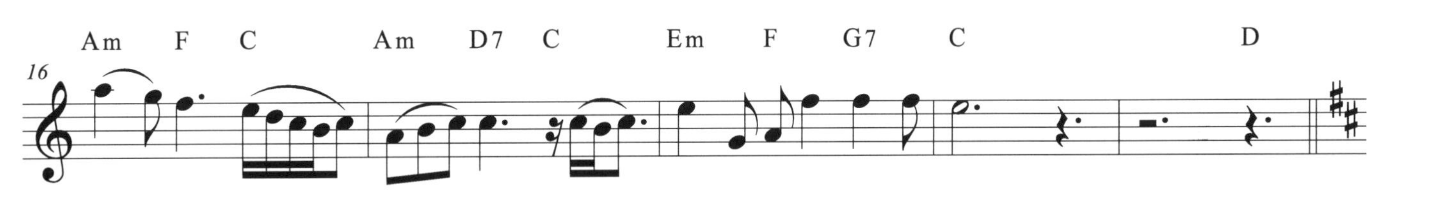

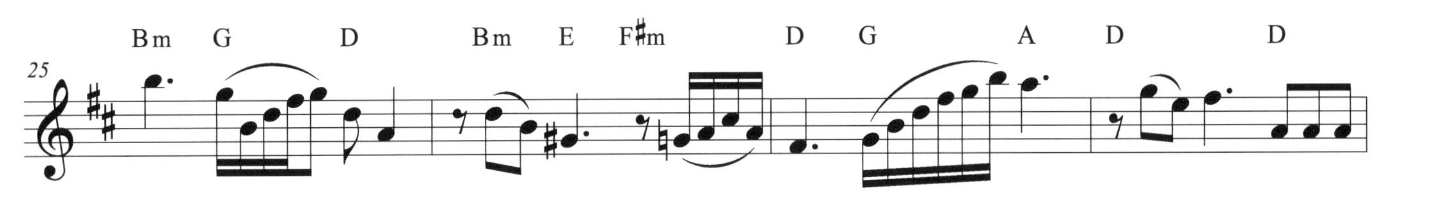

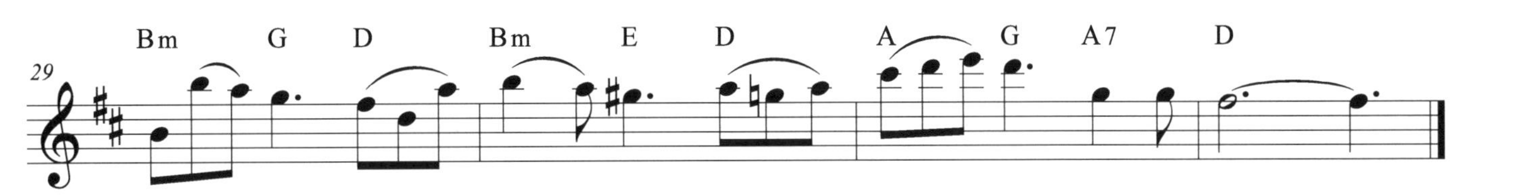

Morning has broken

Flute 2

★★

scottish traditional
한유경 편곡

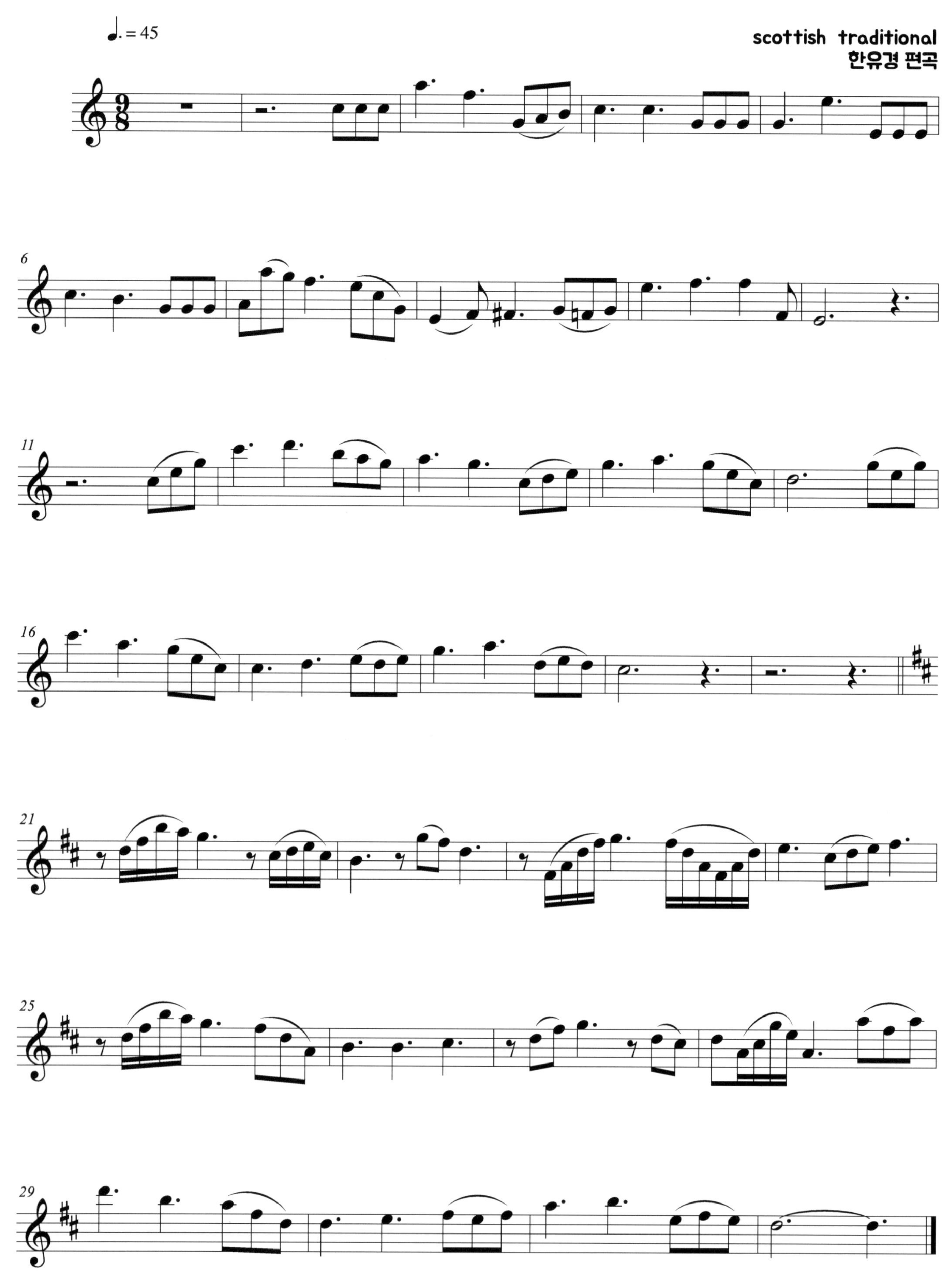

Morning has broken

Flute 3

★

Paris Paris

Flute 1
★★★
Monla 작곡
한유경 편곡
♩= 135
G
C
D7
A/C♯
A/E
D
G/B
E
Am
A
A7/C♯
1-4
24-30
D.C. al Coda
D.S. al Coda
Bm
A7

Paris Paris

Flute 2

Paris Paris

Flute 3
★

Monla 작곡
한유경 편곡

Try to remember

Flute 1

★★

Harvey Schmidt
한유경 편곡

Try to remember

Flute 2

★★★

Harvey Schmidt
한유경 편곡

♩ = 100

4

1-4

11

19

28

36

44

53

5

60

5

67

74

Try to remember

Flute 3

★

Harvey Schmidt
한유경 편곡

we wish you a merry christmas
Flute 1
영국캐롤
한유경 편곡
= 124

we wish you a merry christmas

Flute 2

we wish you a merry christmas

Flute 3

Flute 1
★★

리듬 오브 더 레인

J.C.Gummoe
한유경 편곡

Flute 2
★★★

리듬 오브 더 레인

J.C.Gummoe
한유경 편곡

Flute 3

★

리듬 오브 더 레인

J.C.Gummoe
한유경 편곡

침침체리

★

Richard M. Sherman, Robert B. Sherman
한유경 편곡

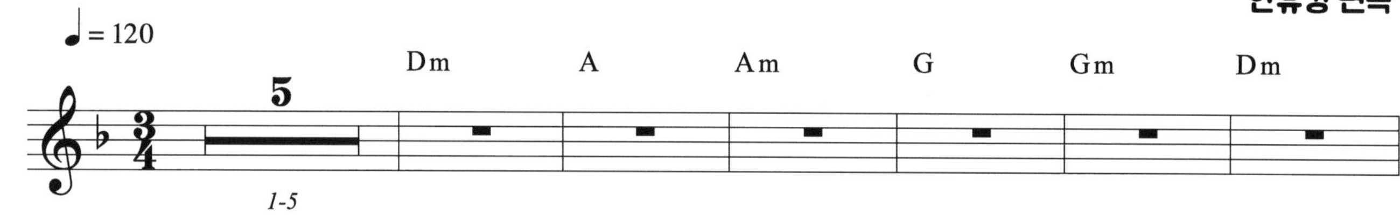

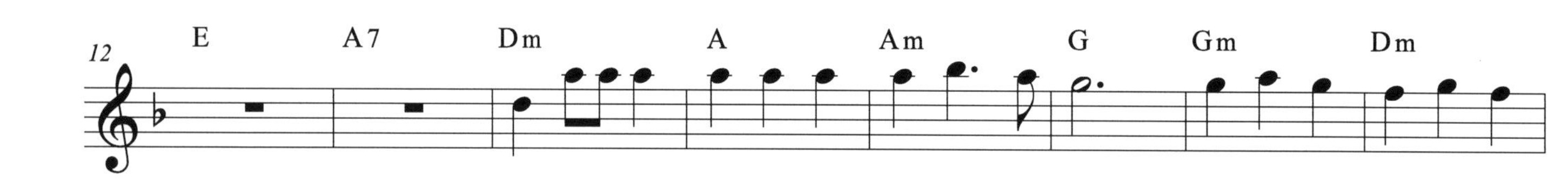

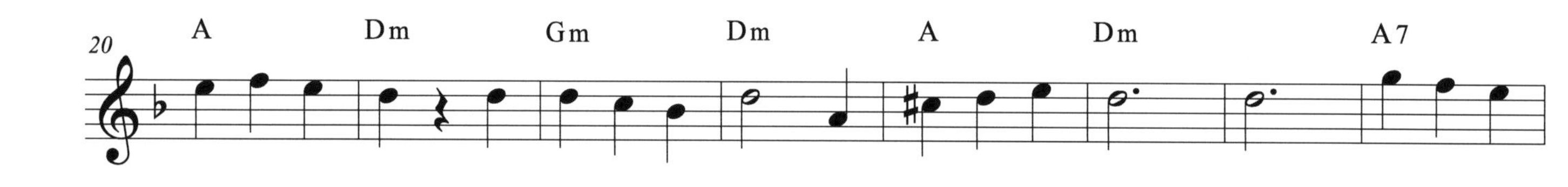

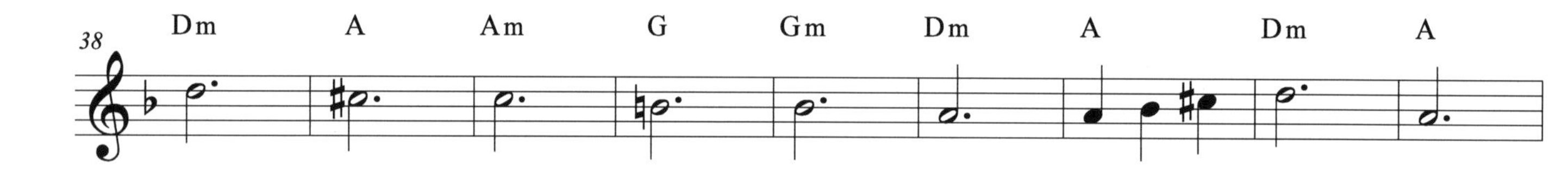

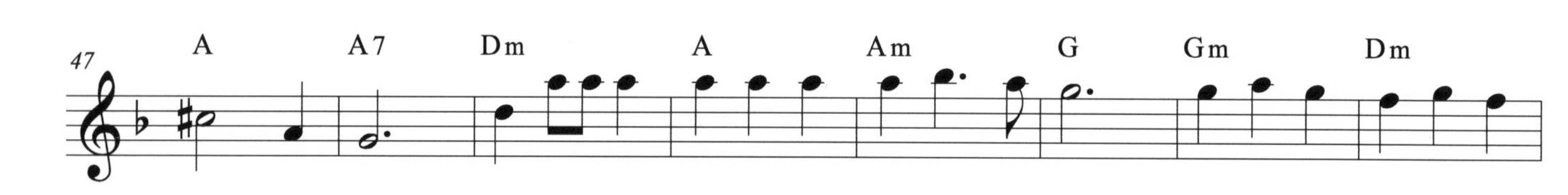

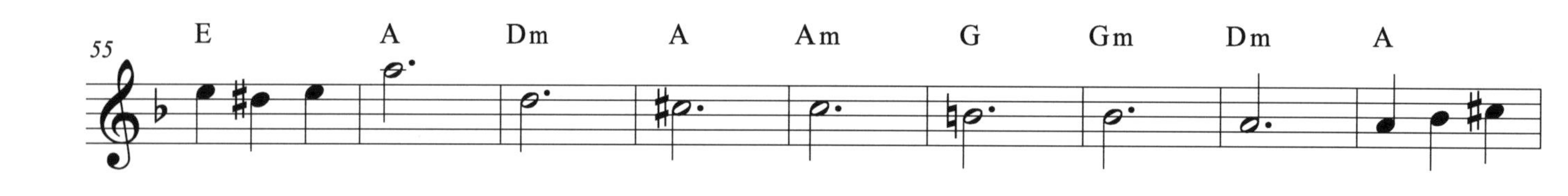

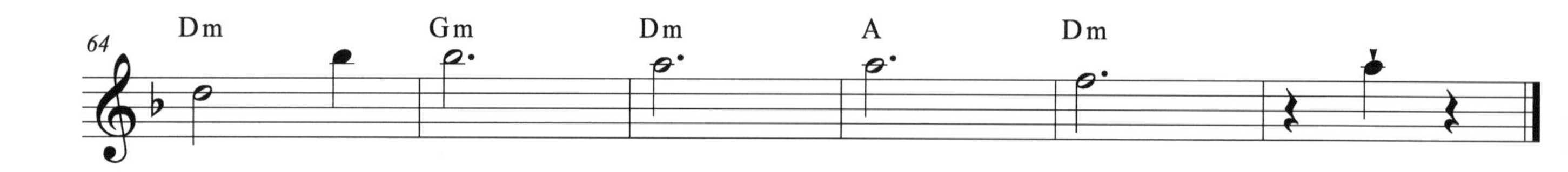

칭칭체리

Flute 2

★★★

Richard M. Sherman, Robert B. Sherman
한유경 편곡

칭칭체리

Flute 3

★★

Richard M. Sherman, Robert B. Sherman
한유경 편곡

보케리니 미뉴에트

Flute 1
★★★★★

Boccherini 작곡
한유경 편곡

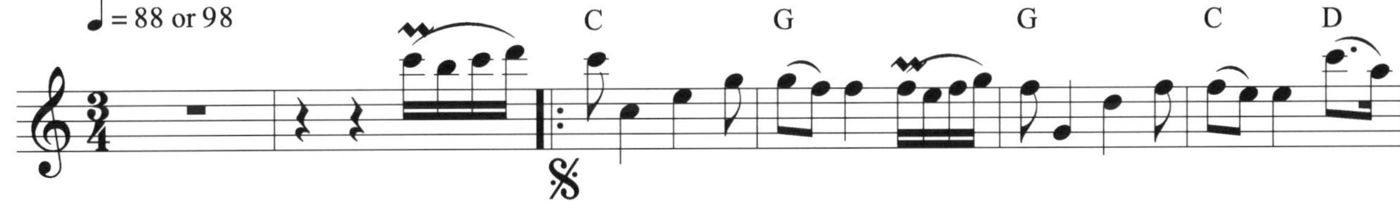

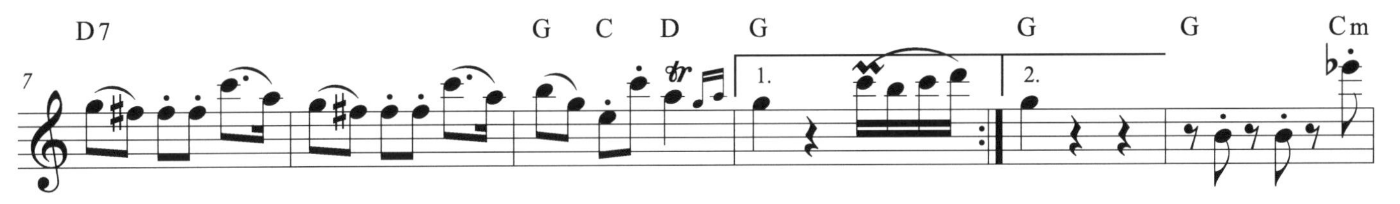

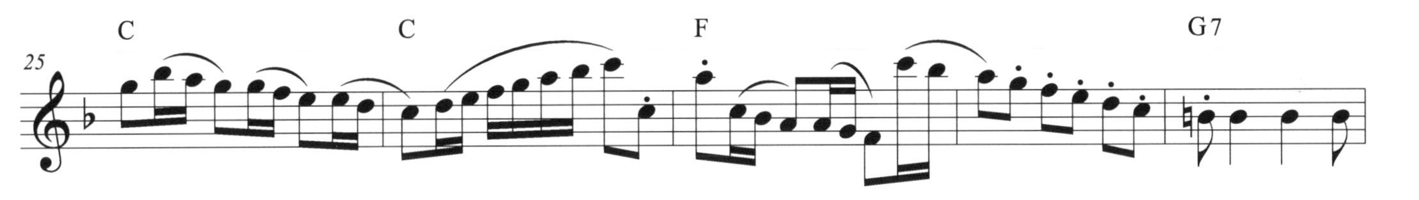

보케리니 미뉴에트

Flute 2

★★★

보케리니 미뉴에트

Flute 3

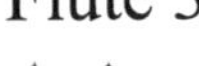

Boccherini 작곡
한유경 편곡

보케리니 미뉴에트

Flute 4

★★★★

Boccherini 작곡
한유경 편곡

♩= 88 or 98

To Coda

D.S. al Coda

보케리니 미뉴에트

Flute 5

★

Boccherini 작곡
한유경 편곡

미뉴에트

Flute 1

★★★★

Flute 2

미뉴에트

J.S.Bach
한유경 편곡

Flute 3

★★

미뉴에트

J.S.Bach
한유경 편곡

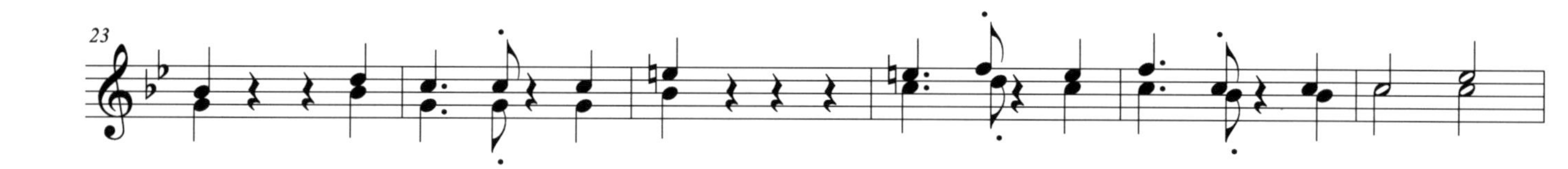

Flute 4
★

미뉴에트

J.S.Bach
한유경 편곡

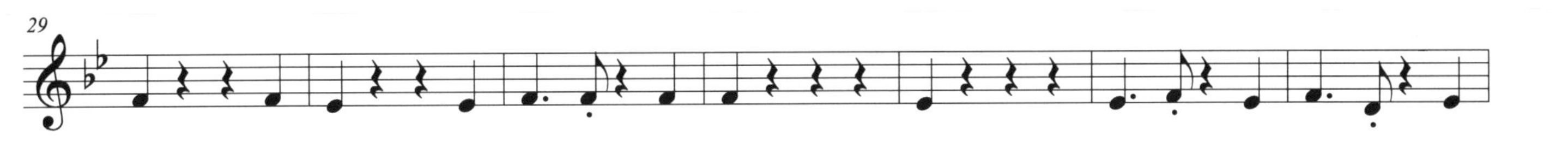

사운드 오브 뮤직

R.Rogers
한유경 편곡

사운드 오브 뮤직

Flute 2

★★

사운드 오브 뮤직

Flute 3

★★★★

R.Rogers
한유경 편곡

사운드 오브 뮤직

Flute 4

★

R.Rogers
한유경 편곡

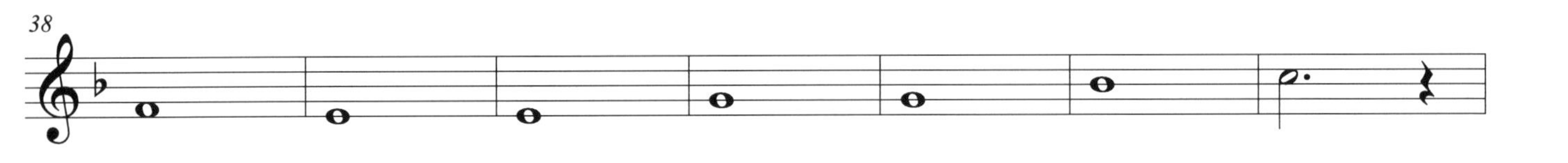

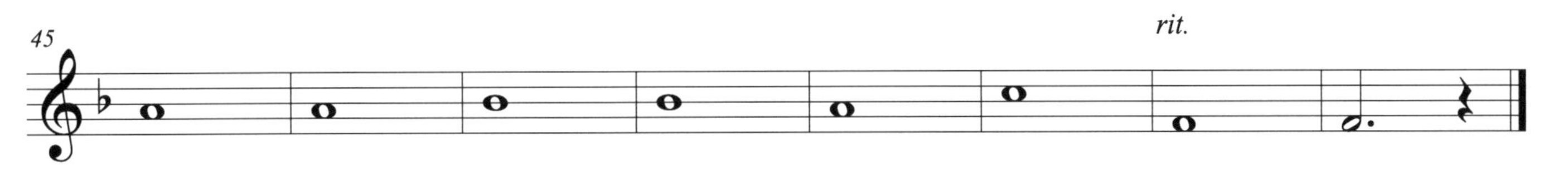

아름다운 세상

아름다운 세상

Flute 2

★★★

아름다운 세상

Flute 3

★★

박학기 작곡
한유경 편곡

아름다운 세상

Flute 4

박학기 작곡
한유경 편곡

징글벨 락

Bobby Helms
한유경 편곡

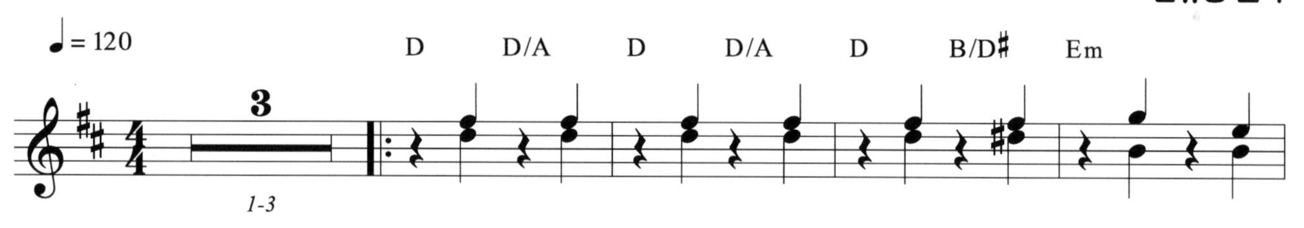

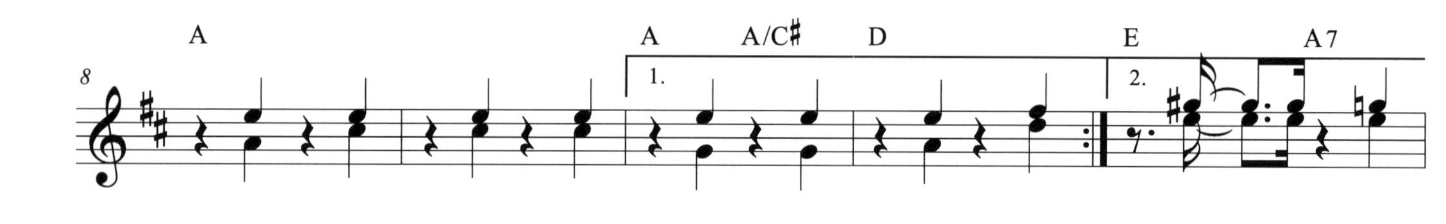

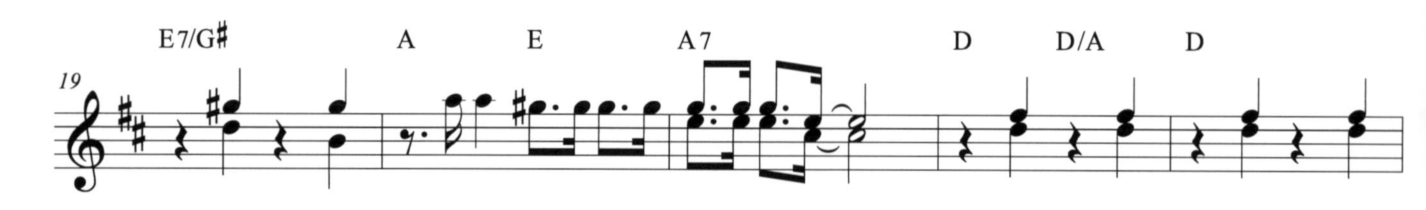

징글벨 락

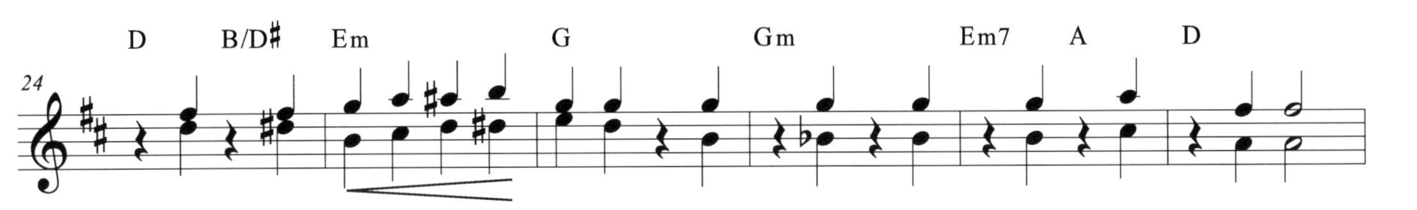
24
D B/D♯ Em G Gm Em7 A D

30
A D D/A D D/A D B/D♯

34
Em A7 A7 A7 D
3 3

39
Em/G E7/G♯ D/A D Em/G

44
E7/G♯ A E A7 D A

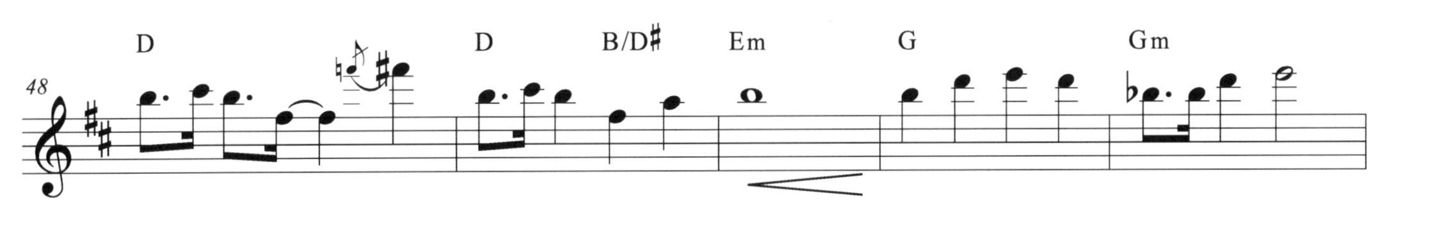
48
D D B/D♯ Em G Gm

53
Em7 A Em7 A Em7 A7 D
3

징글벨 락

Flute 2

★★★

징글벨 락
Flute 3
★
Bobby Helms
한유경 편곡
♩= 120
3
1-3
9
1.
2.
16
22
29
36
43
49

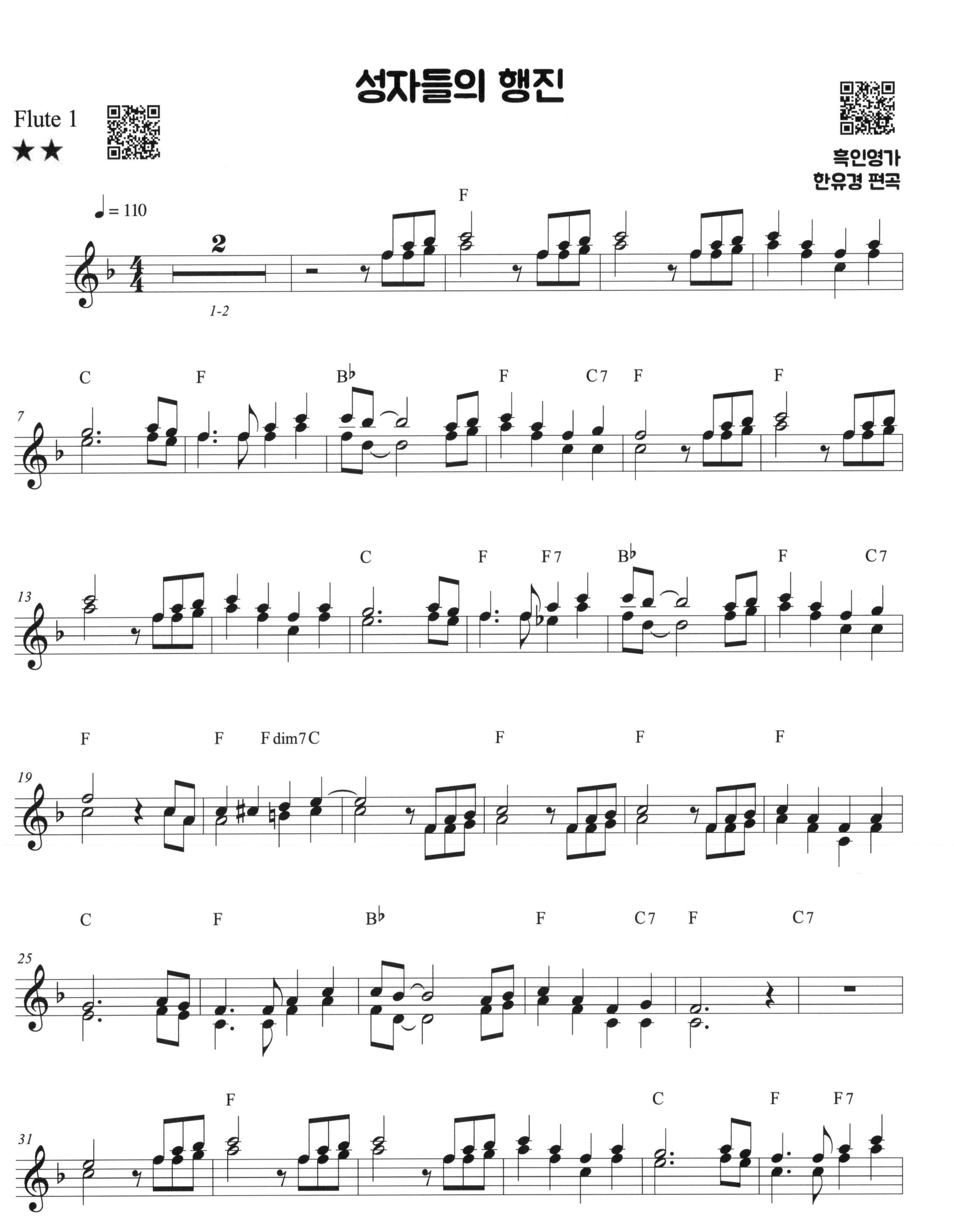
성자들의 행진
Flute 1
★★
흑인영가
한유경 편곡
♩= 110
1-2

성자들의 행진

Flute 2

★★★

흑인영가
한유경 편곡

성자들의 행진

Flute 3

★

흑인영가
한유경 편곡

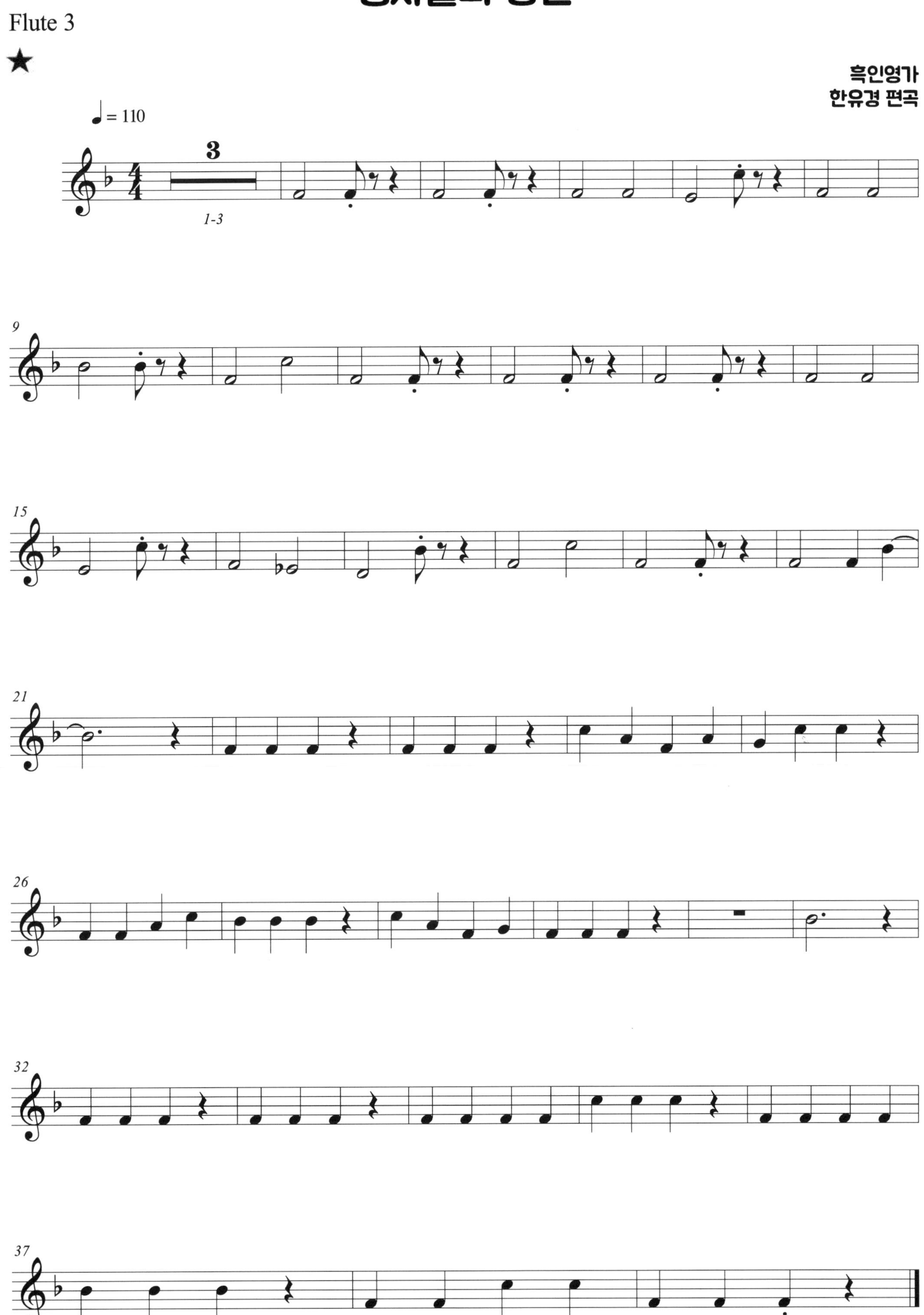

Tambourin

Flute 1

★★★★

F.J. Gossec

한유경 편곡

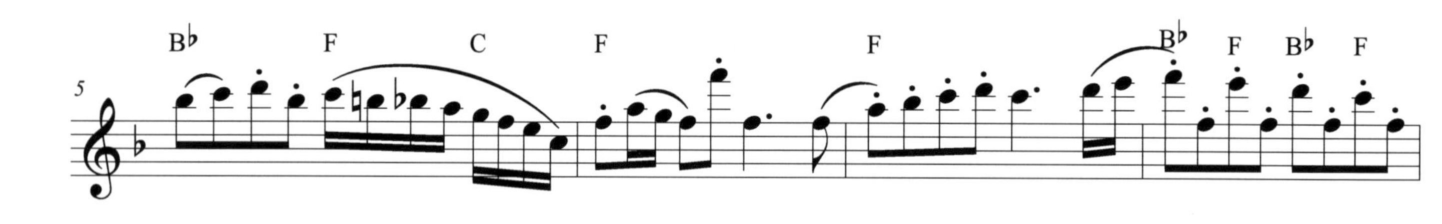

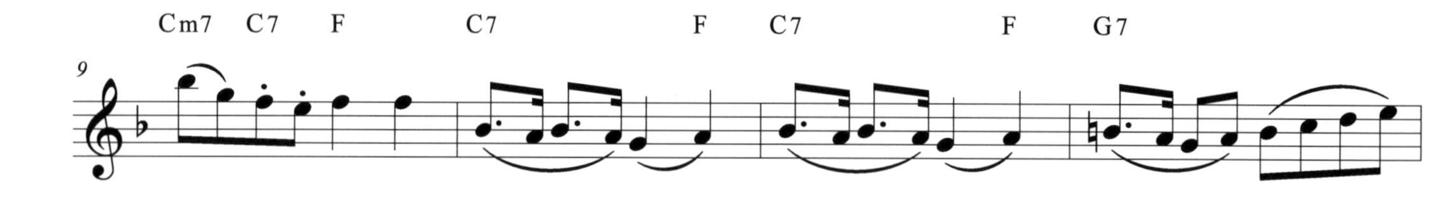

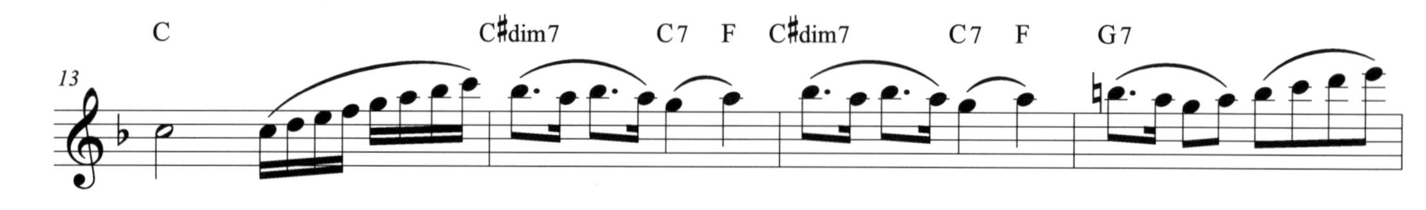

Tambourin

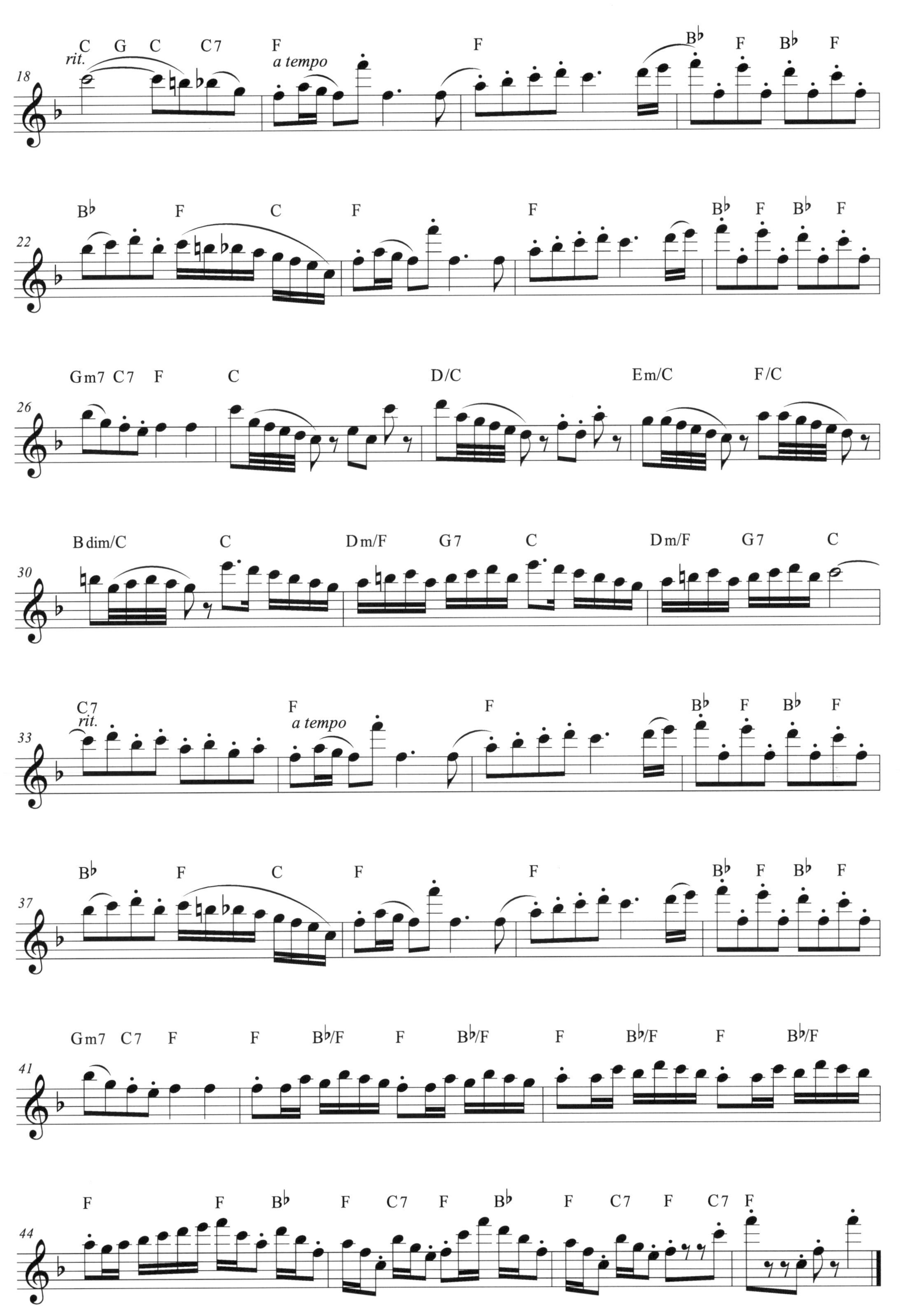
rit.
a tempo
C G C C7 F F B♭ F B♭ F
B♭ F C F F B♭ F B♭ F
Gm7 C7 F C D/C Em/C F/C
Bdim/C C Dm/F G7 C Dm/F G7 C
C7
rit.
a tempo
F F B♭ F B♭ F
B♭ F C F F B♭ F B♭ F
Gm7 C7 F F B♭/F F B♭/F F B♭/F F B♭/F
F F B♭ F C7 F B♭ F C7 F C7 F

Tambourin

Flute 2

★★★

F.J. Gossec

한유경 편곡

Tambourin

Tambourin

Flute 3

★★

F.J. Gossec
한유경 편곡

Tambourin

Flute 4

★

F.J. Gossec

한유경 편곡

6

12

rit. *a tempo*

19

24

30

rit. *a tempo*

35

40

44

플란다스의 개

일본곡
한유경 편곡

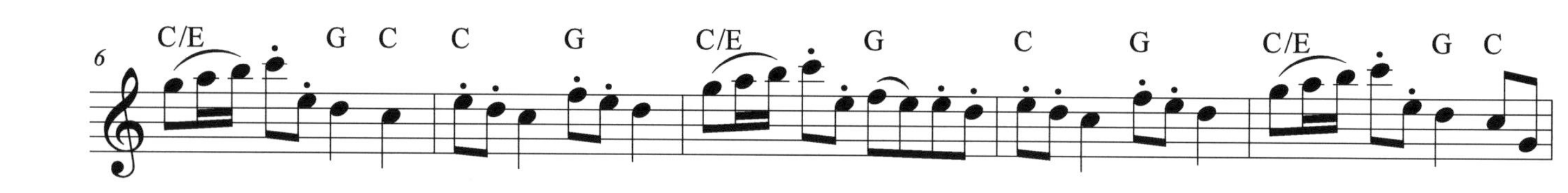

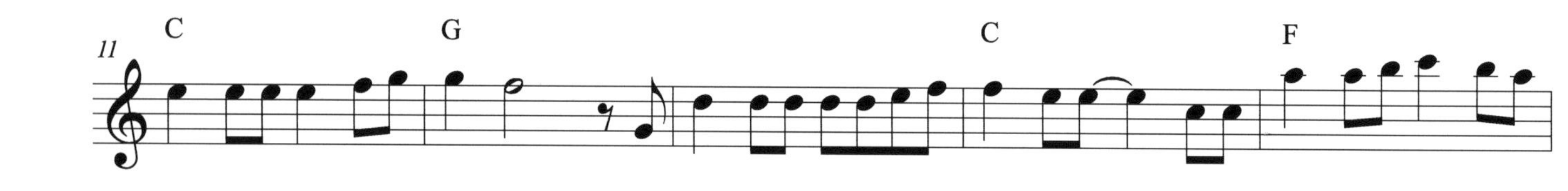

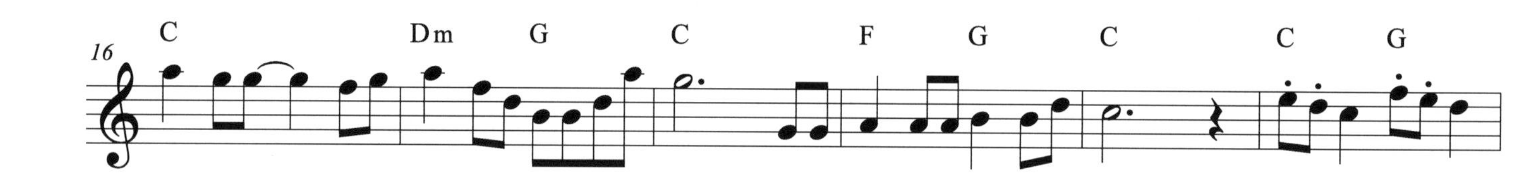

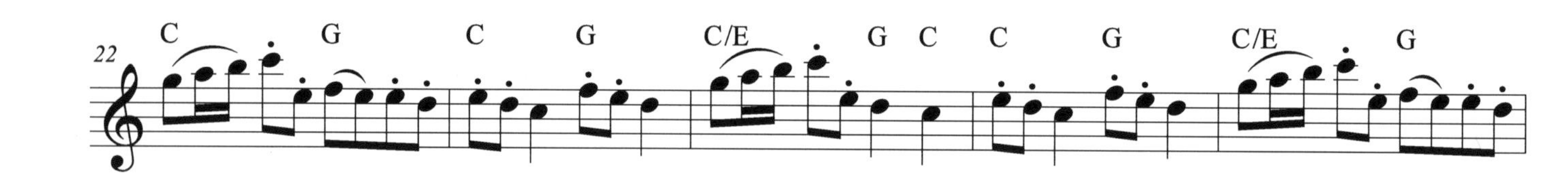

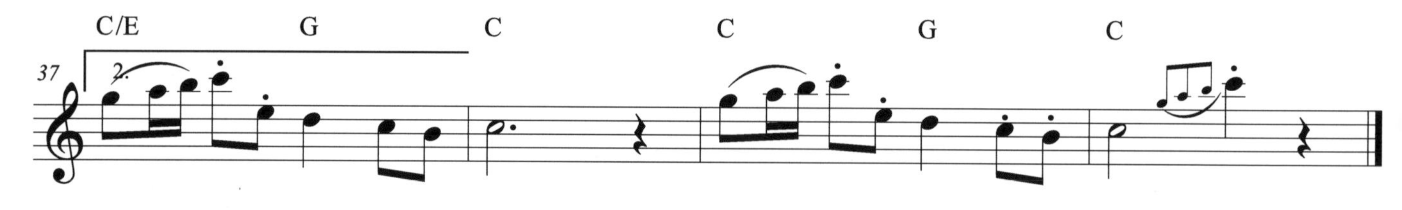

플란다스의 개

Flute 2

★★

일본곡
한유경 편곡

플란다스의 개

Flute 3

★★★★

일본곡
한유경 편곡

♩= 112

2

1-2

6

11

16

21

26

1.

6

31-36

2.

플란다스의 개

Flute 4

★

일본곡
한유경 편곡

♩ = 112

2

1-2

6

10

14

18

22

26

1.

30

6

31-36

2.

38

피노키오

김남균 작곡
한유경 편곡

피노키오

Flute 2

★★★★

피노키오

Flute 3

★★

피노키오

Flute 4

★

하바네라

비제작곡
한유경 편곡

하바네라

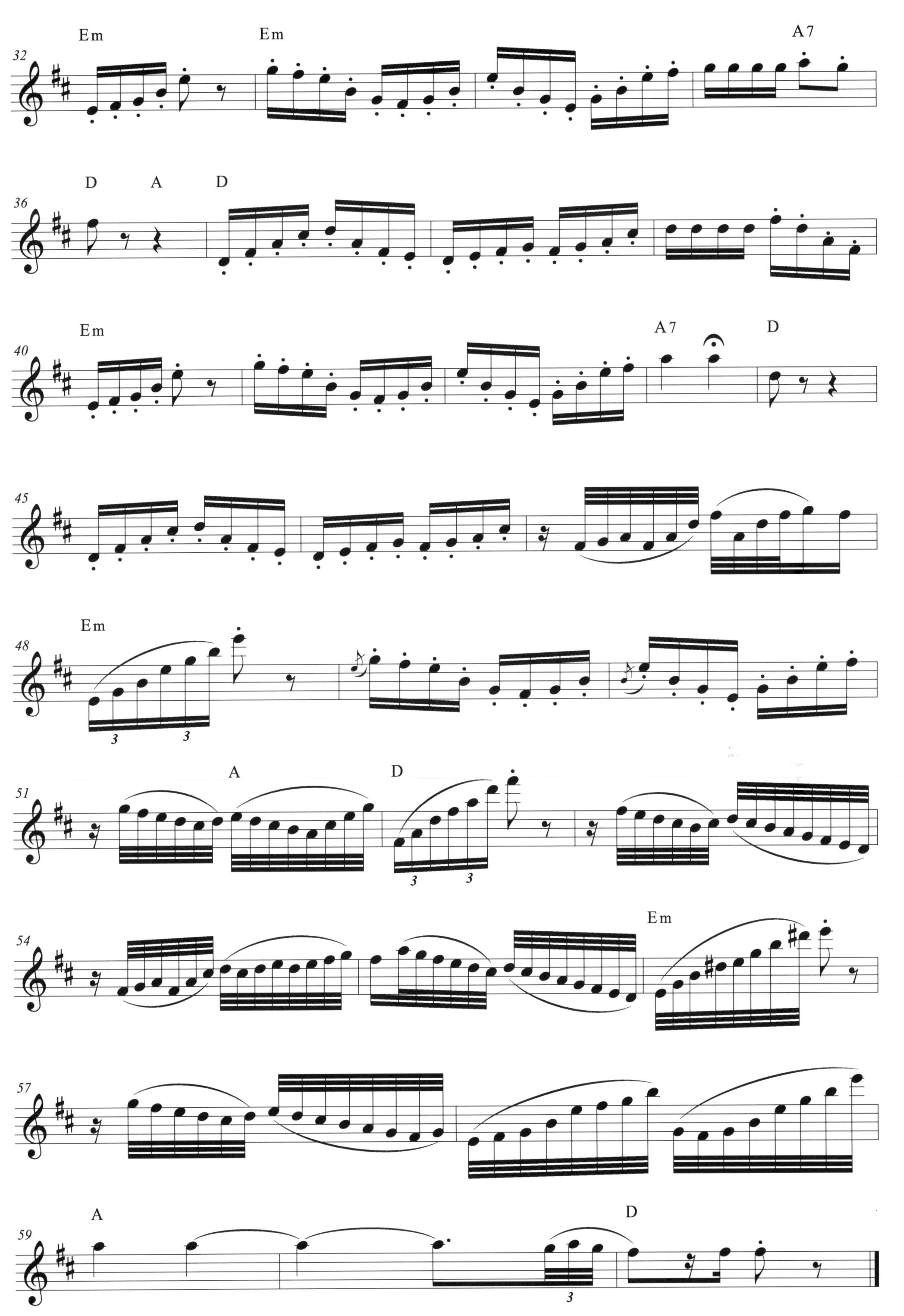

하바네라

Flute 2

하바네라

Flute 3

★★

비제작곡
한유경 편곡

하바네라

Flute 4

★

퍼프와 재키

Flute 1

Peter Yarrow

한유경 편곡

퍼프와 재키

Flute 2

★★★

Peter Yarrow

한유경 편곡

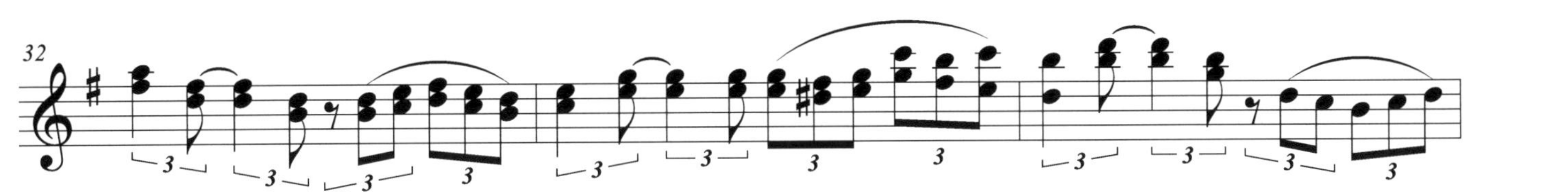
32
3
3
3
3
3
3
3
3
3
3
3
3

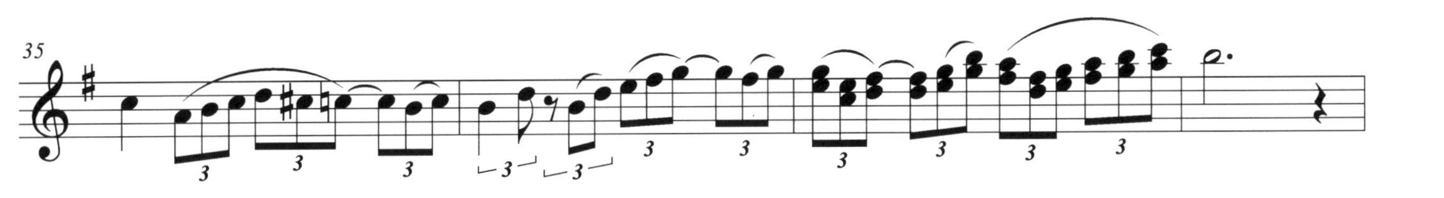
35
3
3
3
3
3
3
3
3
3
3
3

3
39-41
3
3
p
3

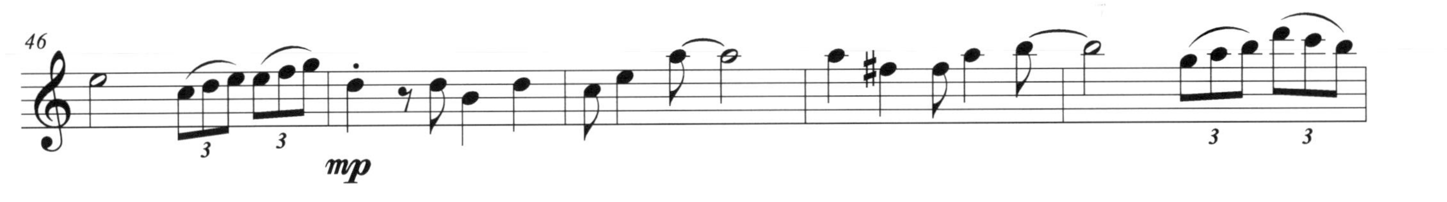
46
3
3
mp
3
3

51
p
3
3
3
3
mp

56
3
3
mf
3
3
3
tr

퍼프와 재키

Flute 3

★★

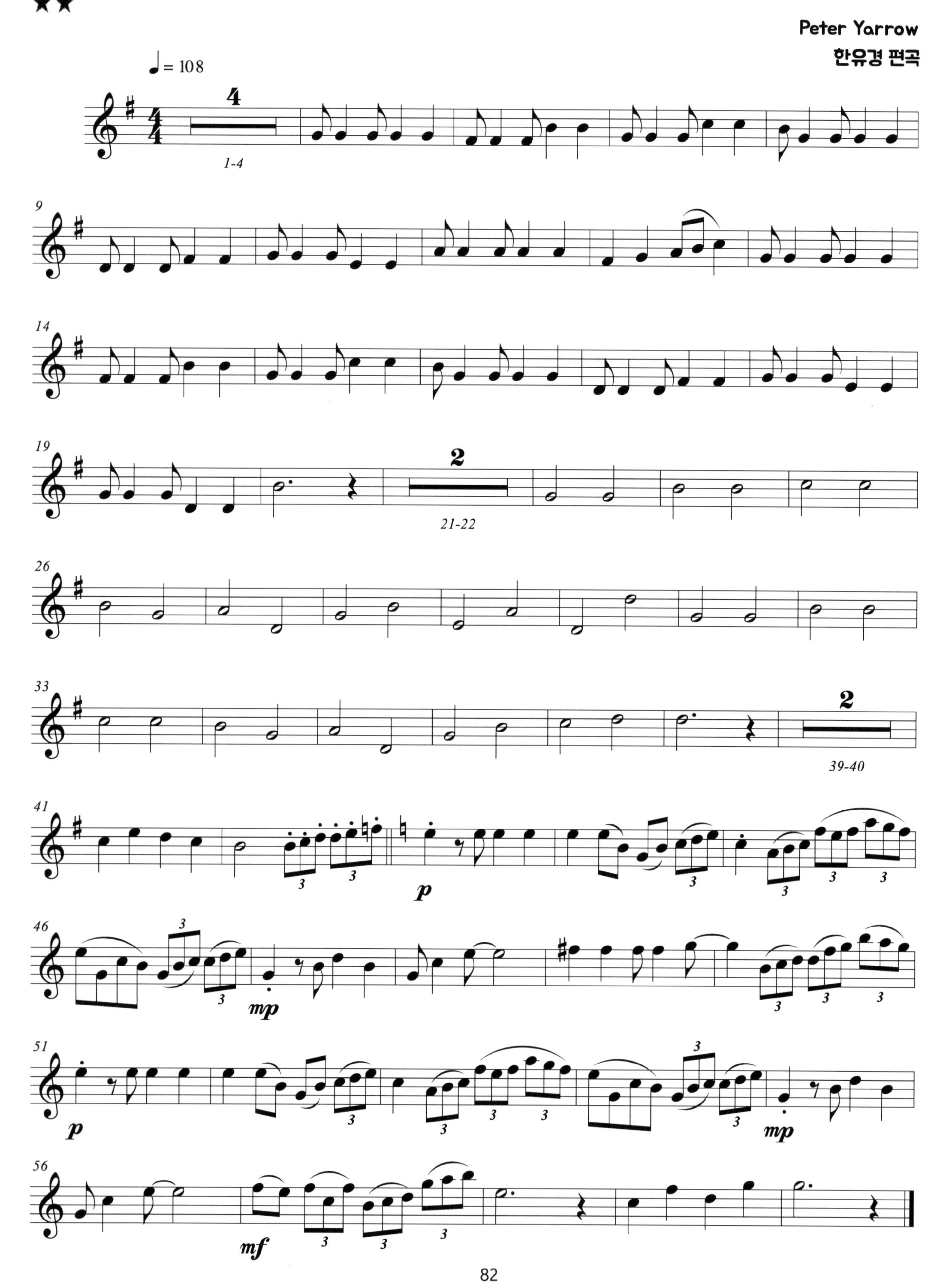

할아버지의 11개월

Flute 1

★★

Kuricorder Quartet
한유경 편곡

할아버지의 11개월

Flute 2
★★★

Kuricorder Quartet
한유경 편곡

♩= 120

1-2

6

11

14

19

25

30

1.

35-36

2.

할아버지의 11개월

Flute 3
★
Kuricorder Quartet
한유경 편곡
♩= 120
2
1-2
7
13
19
24
29
33
1.
2
35-36
2.

허쉬리틀베이비

Flute 1
★

Americn folk
한유경 편곡

허쉬리틀베이비

Flute 2
★★★★

Americn folk
한유경 편곡

허쉬리틀베이비

Flute 3

★★

허쉬리틀베이비

Flute 4

★★★

Flute 1
★★★★

도레미송...

R.Rodgers 작곡
한유경 편곡

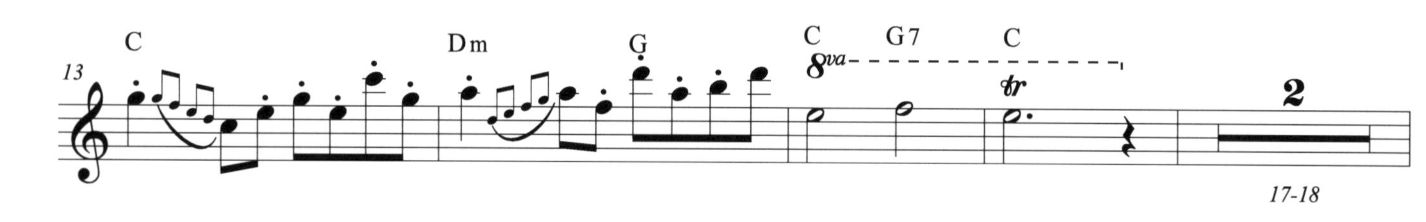

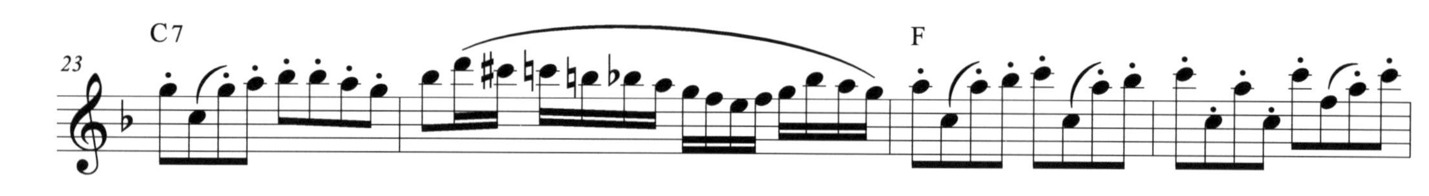

39
C
C7
F
B♭
44
F
B♭
47
G
C
A
50
Dm
B♭
C
F
F
C7
54
F
C7
F
C7
♩= 100
F
rit.
60
E7
Gm
B♭m
C7
66
F
mp
B♭
70
Am7
C7
F

♩= 146
4
74-77
Em
C

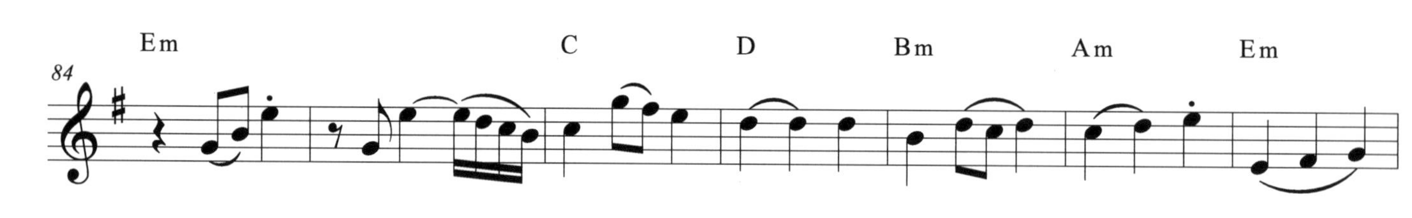

84
Em
C
D
Bm
Am
Em

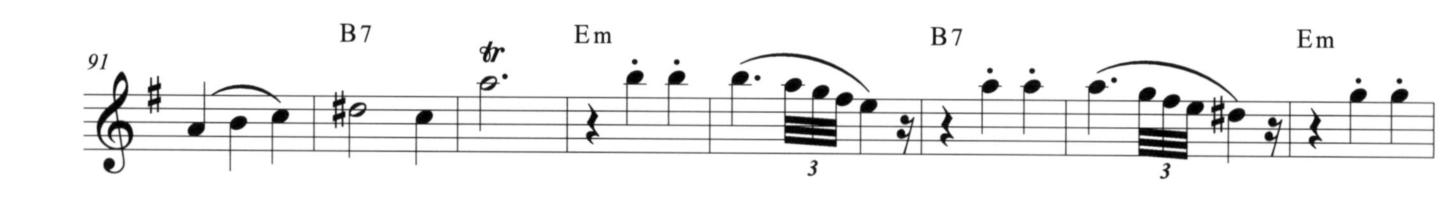

91
B7
tr
Em
3
B7
3
Em

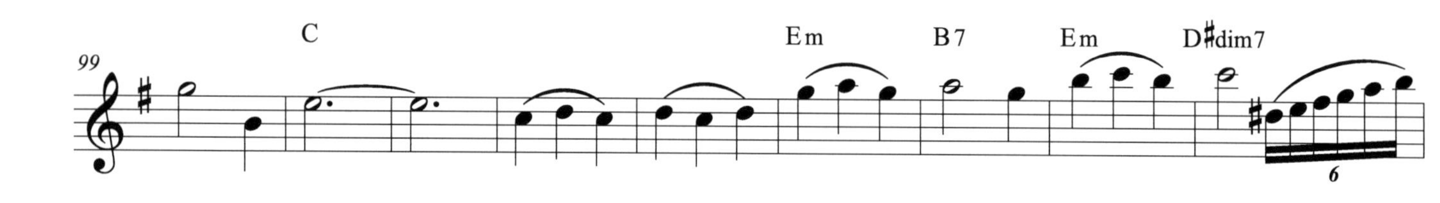

99
C
Em
B7
Em
D♯dim7
6

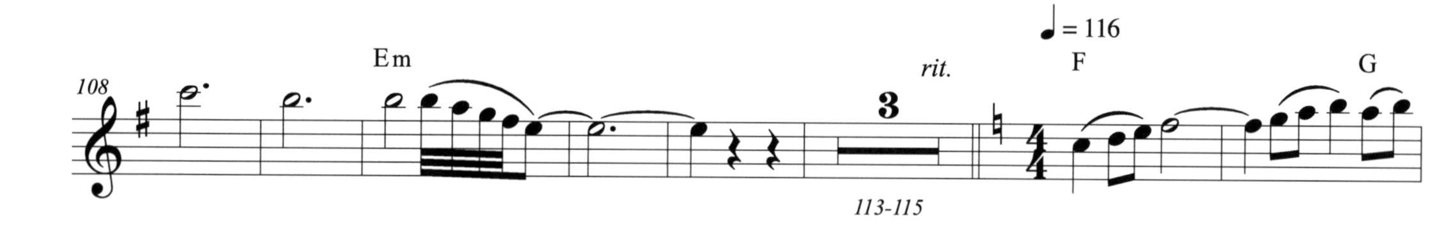

108
Em
rit.
3
113-115
♩= 116
F
G

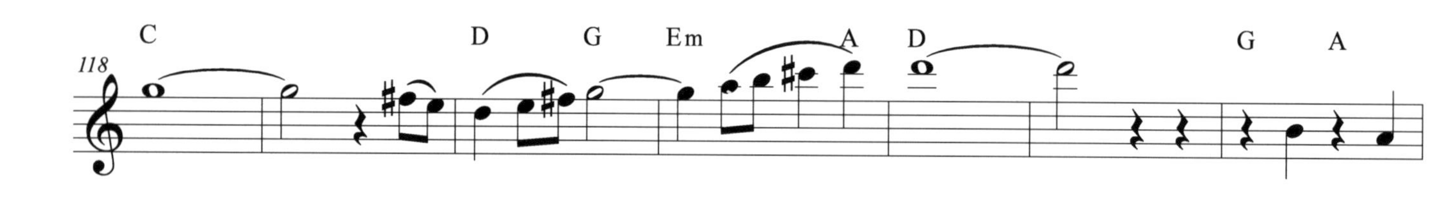

118
C
D
G
Em
A
D
G
A

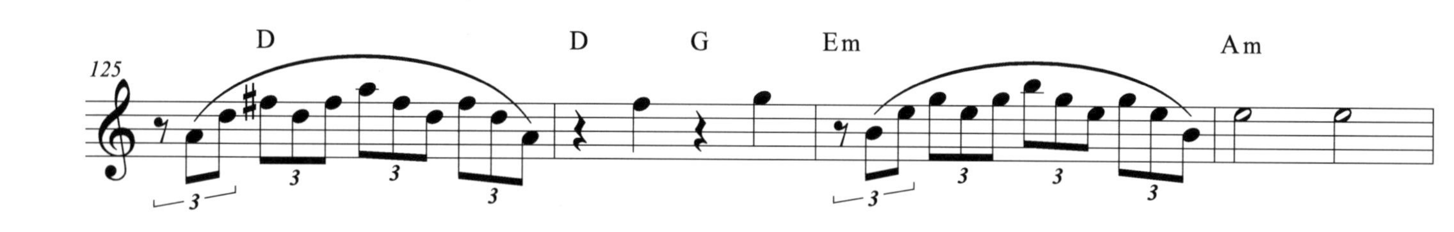

125
D
3
3
3
3
D
G
Em
3
3
3
3
Am

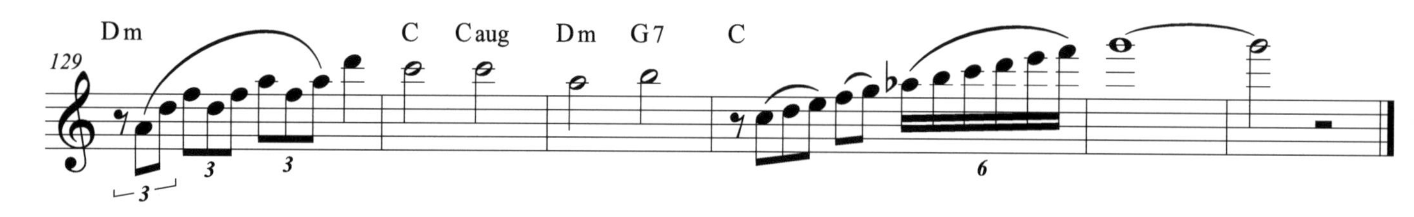

129
Dm
3
3
3
C
Caug
Dm
G7
C
6

Flute 2
★★

도레미송...

R.Rodgers 작곡
한유경 편곡

42
46
50
rit.
♩ = 100
2
55-56

61

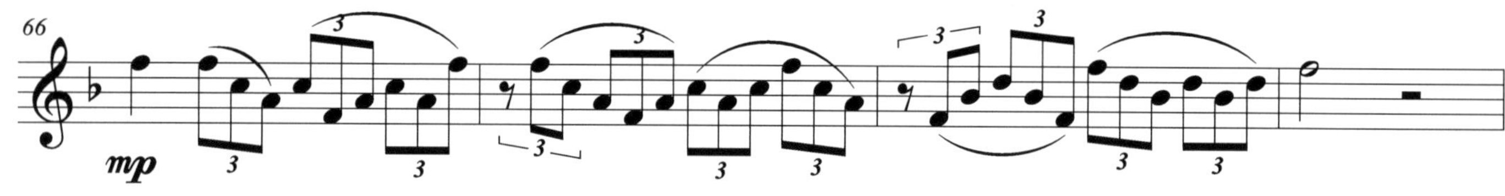
66
mp

70

♩ = 146
4
74-77

83
3
3
3

90
5

97

105

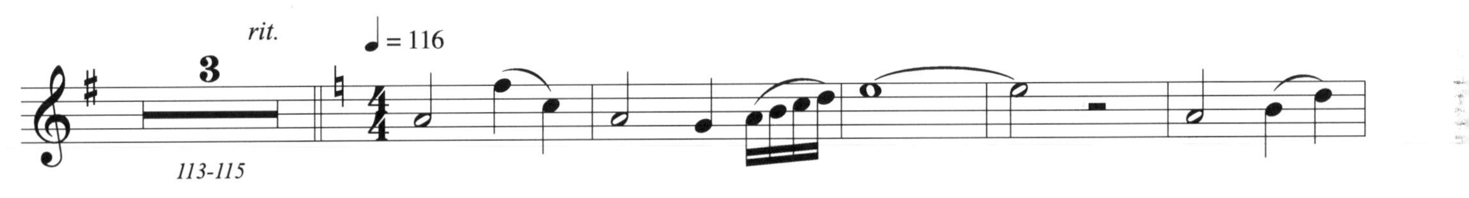
rit.
3
113-115
♩ = 116

121

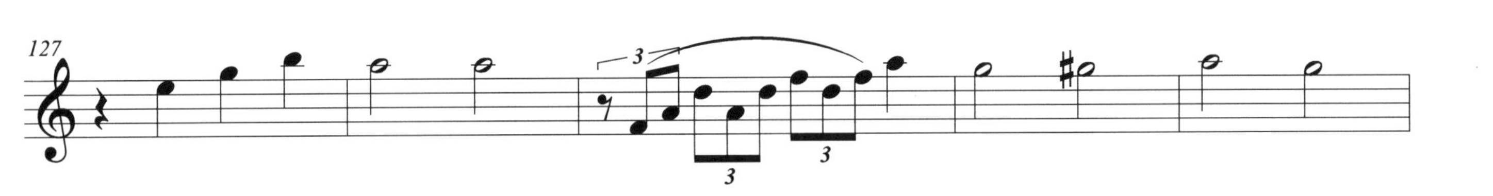
127
3
3
3

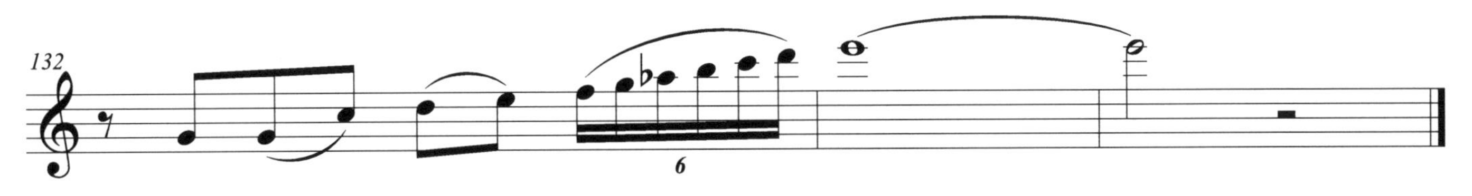
132
6

Flute 3

★★★

도레미송...

R.Rodgers 작곡

한유경 편곡

♩= 120

2

1-2

8

15

20

25

30

36

41

45

50

3

55-57

♩= 100
58
65
72
♩= 146
4
3
74-77
81
89
96
104
rit.
♩= 116
3
113-115
121
128

Flute 4
★

도레미송...

R.Rodgers 작곡
한유경 편곡

도레미송

모두가 함께하는 플루트 앙상블 교실 2

발　행 | 2021년 07월 06일
저　자 | 한유경
펴낸이 | 한건희
펴낸곳 | 주식회사 부크크
출판사등록 | 2014.07.15.(제2014-16호)
주　소 | 서울특별시 금천구 가산디지털1로 119 SK트윈타워 A동 305호
전　화 | 1670-8316
이메일 | info@bookk.co.kr

ISBN | 979-11-372-4963-9

www.bookk.co.kr